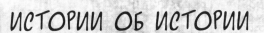

ИСТОРИИ ОБ ИСТОРИИ

РЕДКАЯ ПТИЦА

Илья Носырев

ПЕРВОБЫТНЫЕ ЛЮДИ

Иллюстрации
Анастасии Катышевой

РЕДКАЯ ПТИЦА

ПРЕДИСЛОВИЕ ДЛЯ РОДИТЕЛЕЙ

История — предмет интересный, но в основном для взрослых людей. И дело совсем не в том, что ребенок не найдет в ней занимательных событий. Главная проблема в другом: даже самые любопытные, поражающие воображение ребенка события не будут складываться у него в систему. Можно рассказать детям, как древние люди охотились на мамонта, и они будут слушать с удовольствием — а если вы попробуете перейти к более важным, но при этом неприключенческим явлениям из той же эпохи (например, к изготовлению орудий труда или освоению земледелия), заскучает даже самый любознательный ребенок. Вот почему хорошая и хотя бы немного системная научно-популярная книга об истории не пишется для детей 6 лет, и даже для детей 10 лет — она предназначается более старшим.

А малышам в лучшем случае достаются рассказы об отдельных исторических личностях и явлениях. Чтобы сделать свой рассказ повеселей, авторы научно-популярных книг об истории добавляют туда художественный сюжет: например, рассказывают, как жила семья древних охотников. И это хороший выход. Однако здесь авторы попадают в другую ловушку: они ограничиваются описаниями повседневных событий — древние люди жили в пещерах, обогревались огнем, делали орудия из камня. Совсем неслучайно такие книги пишутся как бы извне, с позиции сторонних наблюдателей — эпоха показана с точки зрения, например, каких-нибудь школьников Маши и Саши, путешествующих во времени на чудо-холодильнике.

Такой подход не позволяет добиться самого главного — выработать у детей причинно-следственное мышление, необходимое для понимания исторических событий. Это любопытная этнография, да и только: конечно, ребенку интересно читать, что в племени мумбо-юмбо женщины носят колокольчик в носу. Но зачем они это делают — останется за кадром. А ведь в истории — особенно в той части, которая касается великих открытий и освоения технологий — мало случайностей.

Почему люди прошлого совершали именно такие, а не другие действия? Как и почему совершались великие открытия и происходили события, определившие ход развития общества и культуры. Об этом можно и нужно интересно рассказывать детям, даже маленьким. Вот почему мы решили открыть эту серию. В серии «Истории об истории» герои не прилетели на машине времени и не взирают на историю со стороны. Они и есть человечество: они постоянно решают проблемы, которые перед ними возникают. Проблемы эти заставляют их голодать, мерзнуть, испытывать страх или потребность в чем-то, чего у них раньше не было, — они решают эти проблемы, чтобы жить дальше. Именно этот постоянный поиск решений побуждает людей развиваться — осваивать новые технологии, создавать новые формы общественной организации. И только так можно объяснить, почему люди каменного века или средневековые рыцари делали то-то и то-то.

Конечно, и наш подход допускает некоторые условности — например, вся человеческая история показана как жизнь одной семьи, которая не стареет, проживая целую эпоху за несколько лет. Семья как на подбор состоит из культурных героев — это они и огонь открыли, и религию придумали, и земледелие освоили. И все же ребенку будет легче потом привыкнуть к мысли, что все было не так просто, как описано в его первых книжках по истории, чем самостоятельно выработать причинный подход, необходимый для понимания истории. При этом книги современны — мы старались избегать цитат из устаревших трудов этнологов, изданных сотню лет назад, и рискнули включить ряд научных концепций, завоевавших популярность среди ученых в последние десятилетия (например, концепцию вынужденного перехода к земледелию, разработанную американским исследователем Д. Даймондом).

В этой книге много юмора, есть даже комиксы и игровые задания, но все это служит не только развлечению, но и обучению. Например, задания — это не просто головоломки и лабиринты, где художник мог бы нарисовать фей или гномиков, но нарисовал древних людей, раз уж книга про них. Большинство заданий построено так, чтобы ребенок понял какой-то важный факт, связанный с образом жизни, который вели древние: например, усвоил, какие именно животные поддаются приручению, или почему люди думали, что весь окружающий мир населен разнообразными духами. Особенно важно для меня то, что задания помогали мне придумывать мои шестилетние дочки — я давал им тему, а они придумывали, что нужно нарисовать. Так, из моих разговоров с детьми, их придумок и рисунков Анастасии Катышевой, воплотившей наши идеи, и родилась эта книга.

Илья Носырев

ПЕРВОБЫТНЫЕ ЛЮДИ

Перед нами древняя равнина, на ней живут люди. Это наши предки, и выглядят они почти так же, как мы. Только вместо футболки, джинсов и ботинок на них звериные шкуры. Да ещё головы немыты, да ногти нестрижены.

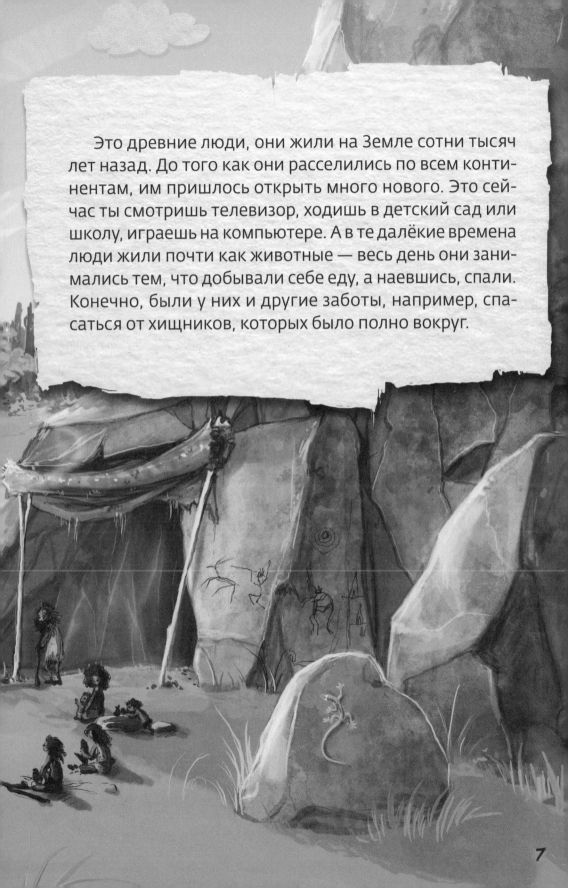

Это древние люди, они жили на Земле сотни тысяч лет назад. До того как они расселились по всем континентам, им пришлось открыть много нового. Это сейчас ты смотришь телевизор, ходишь в детский сад или школу, играешь на компьютере. А в те далёкие времена люди жили почти как животные — весь день они занимались тем, что добывали себе еду, а наевшись, спали. Конечно, были у них и другие заботы, например, спасаться от хищников, которых было полно вокруг.

7

ПРЯМОХОЖДЕНИЕ

Если мы сравним древнего человека с животными, которые его окружали, мы удивимся, насколько слабое и беззащитное это было существо! У него не было ни мощных когтей, ни острых зубов, ни толстой шкуры. У него не было даже шерсти, чтобы не мёрзнуть холодными ночами.

Как же такое существо могло выжить в холод и зной, среди кровожадных хищников и других опасностей? Дело в том, что у человека было несколько замечательных особенностей. Во-первых, он ходил на двух ногах, а не на четырёх, как большинство животных. Чем это хорошо? Да тем, что когда ты ходишь на двух ногах, с высоко поднятой головой, ты можешь увидеть хищника, ещё когда он на горизонте, — и вовремя спрятаться или приготовиться, чтобы отразить его нападение.

Кроме того, у тебя свободны руки, и ты можешь делать орудия — разные полезные вещи, с помощью которых проще и удобнее добывать пищу, шить из звериных шкур одежду и обороняться от врагов. Это важное умение: ведь сделанное человеком копьё может быть острее зубов тигра, и летит оно быстрее птицы.

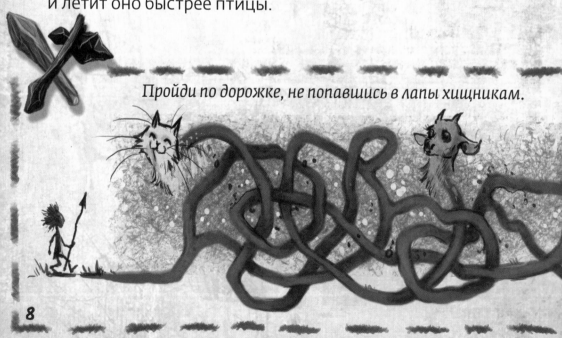

Пройди по дорожке, не попавшись в лапы хищникам.

РЕЧЬ

В отличие от животных, древние люди умели говорить. Правда, слов у них было мало. Это ты, когда тебе нужна какая-то игрушка, можешь сказать: «Мама, дай паровозик! Нет, не этот, а тот, который лежит в шкафу. Красный такой, с жёлтыми колёсами». А они в основном говорили простыми словами вроде «Эх!», «Ах!», «Дай!», «Принеси!», «Уйди!» Но такая речь лучше, чем никакой. Иногда она может спасти жизнь.

Речь помогала древним людям выживать. И чем лучше они говорили, тем лучше могли делать копья и каменные топоры, тем больше пищи они добывали. И тем больше их становилось. А потому с каждым новым поколением люди говорили всё лучше и лучше.

Речь позволяла людям держаться вместе. Они придумали друг другу имена и всегда могли позвать друг друга, когда была нужна помощь, и договориться, как вместе охотиться на крупного зверя.

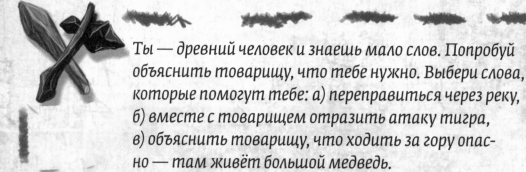

Ты — древний человек и знаешь мало слов. Попробуй объяснить товарищу, что тебе нужно. Выбери слова, которые помогут тебе: а) переправиться через реку, б) вместе с товарищем отразить атаку тигра, в) объяснить товарищу, что ходить за гору опасно — там живёт большой медведь.

Однажды два храбрых охотника Ух и Эх в поисках дичи забрались на маленький островок посреди реки. Шёл сильный ливень, и вода в реке поднималась. На берегу сидели две гориллы. Они с тоской глядели на лежащее рядом бревно, и каждая из них, наверное, думала: «А хорошо бы взять его, положить поверх потока и перебежать на ту сторону». Но говорить они не умели и сказать этого друг другу не могли.

ПЕЩЕРА

Древние люди охотились и жили вместе, и домами им служили пещеры. Почему пещеры? Да потому что настоящих домов они ещё не умели строить. Для этого ведь надо научиться обтачивать камень или хотя бы рубить деревья. А они ничего этого не умели — и поэтому просто находили просторную пещеру в скале, где могли спрятаться от дождя, ветра и диких зверей.

В одной такой пещере жили охотник Ух, его жена Ах и их маленький сынишка Ох.

УХ!

В глубине той же пещеры жили еще дядя Гм, тётушка Гы-Гы, дедушка Ммм и ещё десяток их родственников. Ух был очень хорошим охотником, умным и сообразительным.

13

СЕМЬЯ

Древние люди жили целой семьёй, и это также отличало их от животных. Вот у тебя наверняка есть бабушка и дедушка. А медвежонок, например, живёт с мамой, братьями и сёстрами, и ни папа, ни бабушка с дедушкой никакого участия в его воспитании не принимают.

У древних людей бабушки и дедушки помогали воспитывать подрастающее поколение, передавали опыт и знания своим внукам. И это очень важно, ведь человек — единственное на планете существо, которое постоянно учится чему-то новому. Животные обучаются совсем недолго: например, волчонок всего за год овладевает всеми навыками, которые нужны для жизни. У человека всё иначе. В детском саду малыши учатся петь и рисовать. В школе изучают литературу, химию, математику. А в университете — даже квантовую физику, кадровый менеджмент или ракетостроение. Люди учатся чему-то новому всю свою жизнь.

Ух нашёл пещеру, из которой не так давно ушла другая семья. Где здесь детская? Где располагался очаг? Где была спальня? А где — склад еды? И где обитатели пещеры мастерили орудия труда?

Самым опытным и мудрым в семье Оха был старый дедушка Ммм. Дедушка Ммм был хромой на одну ногу: когда-то давно во время охоты ногу ему отдавил носорог. С тех пор дедушка уже не был таким хорошим охотником: не мог догнать антилопу или ринуться на тигра. Если бы он жил один, он, наверное, умер бы с голоду. Так бывает у животных: старое или больное животное умирает, когда уже не может добыть себе пищу. Но у людей, даже древних, всё было иначе: дедушку Ммм кормило всё племя, даже малыши, которые собирали для него ягоды. И от этого племя только выигрывало: ведь дедушка Ммм в юности обошёл

всю равнину и знал её как свои пять пальцев. Поэтому он мог научить юных охотников, где их ждёт богатая добыча, а где — опасность. Благодаря рассказам дедушки Ммм племя больше знало о мире, в котором живёт.

Самым важным занятием древних людей было добы-
вание еды. Женщины собирали корешки, ягоды и плоды
деревьев, мужчины охотились. И только так, а не иначе.
Это сейчас и женщины, и мужчины могут водить машину,
играть в футбол или придумывать новые платья. А в те далёкие годы папы и мамы, дедушки и бабушки и даже маленькие девочки и мальчики занимались совершенно раз-
ными делами.

И СОБИРАТЕЛЬСТВО

Можно сказать, что сама природа приспособила мужчин и женщин для разных задач. Мужчина обычно выше ростом и сильнее женщины, он лучше дерётся и кидает предметы, вот почему гоняться за дикими зверями и вступать с ними в ожесточённые схватки для него куда более лёгкая задача, чем для женщины. Зато женщины легче отыскивают мелкие предметы и лучше отличают разные цвета. Вот почему найти все ягоды на зелёной лужайке для женщины не составляет труда.

Даже умение говорить мужчинам в древние времена было не так нужно, как женщинам: ведь слишком болтливый охотник может спугнуть дичь.

А вот для женщин речь была незаменимой: в поисках корешков на бескрайней равнине женщины скрашивали скучное занятие весёлыми беседами. А ещё умение говорить помогало им понять, кто как относится друг к другу.

Получается, что женщинам речь была важнее, чем мужчинам. Даже сейчас маленькие девочки учатся говорить раньше, чем мальчики. Например, когда девочкам два года, они обычно знают больше слов и говорят более сложными фразами, чем мальчики того же возраста.

КАМЕННЫЕ ОРУДИЯ

Для охоты нужно оружие. Из чего древние люди могли его изготовить? Конечно, из камня. У древних людей были каменные топоры, копья с каменными наконечниками, каменные ножи и другие орудия. Чтобы сделать каменный топор, надо было трудиться целую неделю. Охотник брал большой камень и начинал бить по нему другим камнем, поменьше, отбивая от большого куски. От неточного удара камень мог раскрошиться без всякой пользы, и тогда приходилось искать новый и начинать сначала. Понемногу камень становился узким и острым. Теперь это было рубило, которое можно привязать к палке и орудовать им как топором.

Найди среди камней такие, из которых можно сделать орудия.

Конечно, каменные топоры и копья с каменными наконечниками были довольно тяжёлыми и не очень удобными,
но никаких других у людей в те времена не было.

КОПЬЕМЕТАЛКА

Когда наступала засуха, животные, на которых можно было охотиться, уходили в поисках воды в другие места. Добычи становилось меньше, поймать её — труднее. Людям нужны были специальные орудия, чтобы увеличить шансы на удачную охоту.

Уже третий день в животе у Оха, Ах и Уха было пусто. Солнце выжгло всю траву, и вокруг горы осталось всего несколько антилоп. Они тоже голодали. Голод сделал их нервными и чуткими: завидев краем глаза человека, они отбегали подальше. Подкрасться ближе к ним не получалось, а бросить копьё далеко ослабевший от голода Ух не мог.

— Ох! — вздохнул маленький Ох. — Хочу есть!

— Ах! — воскликнула Ах. — Нет еды! Сделай что-нибудь!

— Ух! — ответил Ух. — Пойду посмотрю.

Он вышел из пещеры и задумался. Если б его рука была хотя бы вполовину длиннее, он кидал бы копьё гораздо дальше. Нельзя ли как-то удлинить руку? Ух вырезал из дерева палку с загнутым концом и положил на неё копьё, тупым концом точно в изгиб палки. Получилась копьеметалка — удивительно простое приспособление: замах палки придавал копью дополнительную силу полёта.

Ух прицелился в антилопу, пасшуюся у самого склона горы, размахнулся и метнул копьё. Копьё полетело гораздо дальше, чем обычно, и сразило антилопу. Ух заткнул палку за пояс, а потом, гордый, пошёл за своей добычей.

Пройди по дорожке, охотясь на разных зверей. Какое оружие ты выберешь? Стрелы бьют дальше всего, но не годятся для крупного зверя. Копья отлично подходят для охоты на антилоп и диких коз. Дубиной можно обороняться от крупных животных вроде медведя или льва, но только если они нападают лицом к лицу.

«ПРИРУЧЕНИЕ» ОГНЯ

Ты удивишься, но когда-то древние люди ели мясо сырым! И вдобавок не мыли перед этим рук. От этого они постоянно болели — то живот заболит, то зубы. Мы бы тоже ели мясо сырым, если бы наши предки не научились пользоваться огнём. Сперва они, как и животные, боялись огня: когда в лесу начинается пожар, и звери, и люди спасаются оттуда сломя голову. А пожары случались часто: солнце высушивало деревья так, что когда на небо набегали тучи и в одно из деревьев била молния, мгновенно начинался пожар.

Однажды холодной ночью маленький Ох никак не мог уснуть.

— Ох! — жаловался Ох. — Мне холодно!

— Ах! — воскликнула Ах. — Ребёнок мёрзнет! Хватит лежать! Сделай что-нибудь!

— Ух! — ответил Ух. — Сейчас.

Ух вышел из пещеры и спустился с горы, размышляя, как бы согреть сына. На равнине под горой недавно был сильный пожар: кругом валялись обугленные деревья, их сучья ещё дымились. Ух вдруг понял, что здесь гораздо теплее, чем в пещере: от деревьев шёл жар. Охотник подобрал за необожжённый конец тлеющую ветку.

«Интересно, — подумал он. — А что если принести её домой?»

Пока он нёс ветку, она почти погасла. Но Ух, положив ветку у входа в пещеру, стал дуть на неё, и на ней вновь показалось пламя. Ах с сомнением и страхом смотрела на тлеющую ветку. Ух принёс сухой травы и подложил рядом. Трава загорелась. Получился настоящий костёр, и в пещере стало тепло! Теперь Ах подкладывала в костёр веточки, чтобы он не погас, — ведь добыть новый огонь было негде. Позднее Ах заметила, что если мясо нанизать на палочку и вертеть его над огнём, мясо станет жареным и есть его будет гораздо приятнее.

ПРИРУЧЕНИЕ СОБАКИ

Ночью на запах жареного мяса, который разносился далеко по равнине, пришёл какой-то хищник. Его глаза так горели в темноте, что Ох испугался и заплакал. Ух поднялся и кинул в темноту камень. Глаза исчезли, но вскоре появились снова. Тогда Ух кинул в них костью антилопы. Из темноты раздался хруст — хищник грыз кость. Полакомившись, он ушёл.

Таинственный хищник приходил и в другие ночи, когда в пещере жарилось мясо. И каждый раз Ух откупался от него, кидая ему кость. А однажды, когда он вышел из пещеры, он увидел небольшого волка. Ух поднял копьё, и волк отскочил. Но когда охотник пошёл в лес, он заметил, что волк следует за ним. Волк был молодой, некрупный, и Ух знал, что легко справится с ним, если волк нападёт. К тому же у волка были умные глаза, и охотнику почему-то показалось, что зверь не собирается на него кидаться.

Заметив стадо антилоп, охотник затаился в кустах. Прицелившись, он кинул копьё, но неудачно: оно воткнулось антилопе в ногу, и она бросилась прочь вместе со стадом. Охотник в сердцах плюнул на землю: уже не догнать! А напуганное стадо теперь будет осторожнее. И вдруг он увидел, как волк, который прятался где-то неподалёку, выскочил из чащи, в три прыжка догнал антилопу и свалил её на землю.

Подбежав, Ух отогнал волка, а добычу взвалил на плечи. Волк шёл рядом с ним, облизываясь, но не пытался отнять у него добычу. И в этот момент Уху пришла в голову умная мысль.

— Пойдём! — сказал он волку. — Живи рядом с нами. Будешь помогать. Охотиться будем! Вместе!

«Ну конечно! — чуть не вырвалось у волка. — Наконец-то догадался!»

Но поскольку говорить он не умел, то вежливо промолчал и тихо пошёл за человеком.

Вот так и появился у человека четвероногий друг — собака. Вы скажете: но это же был волк, а не собака! Правильно, тогда это ещё был волк, и прошла не одна тысяча лет, пока он превратился в собаку. Дело в том, что людям удалось приручить самых добрых из тех волков, которые жили поблизости, и с каждым поколением люди выбирали из их потомства самых добрых, умных и верных животных, которые слушались команд, любили детей, были преданы человеку. Постепенно из огромного злого волка с острыми зубами и сильными лапами получилась собака — животное, которого раньше в природе не было.

ИСКУССТВО И РЕЛИГИЯ

В отличие от животных, у человека есть воображение. Это значит, что он способен представить то, чего на самом деле не видит. Этот дар появился у нас не случайно — иногда он тоже спасал людям жизнь.

Выйдя однажды утром из пещеры, Ух увидел, что дерево, которое росло неподалёку, выглядит как-то необычно: из-за его ствола торчали коготь, краешек пушистого уха и полосатый хвост.

— Тигр! — тут же догадался Ух. И запустил в дерево дубиной, из-за чего тигр, который там прятался, выскочил и, раздосадованно рыча, убежал.

А в другой раз Ух сидел у огня и грел пятки. Вдруг мимо пробежала мышка. За ней — ещё одна. Потом — ещё две. Потом — сразу десять.

Ух задумался, встал и посмотрел на склон горы. По склону с отчаянным писком бежали полчища мышей и крыс. Ух почесал голову, закрыл глаза и в ярких красках представил, как с другого бока горы льётся мощный поток, затопляя мышиные норки: река после весенних ливней разлилась и вот-вот хлынет в долину. Он кинулся в пещеру:

— Ах! Бежим!

Ничего не объясняя, он схватил маленького Оха на руки, и вместе с женой они побежали на самую вершину горы, а за ними помчались дядя Гм, тётушка Гы-Гы, дедушка Ммм и прочие члены их семейства, привыкшие доверять чутью Уха. Потому что поток уже пробил путь в долину, и яростные волны затопляли пещеру. Если бы семья охотника замешкалась хоть на минуту, они бы все погибли.

Ценный дар — представлять то, чего не видишь, — помог человеку открыть для себя искусство. После удачной и полной опасностей охоты Ух развлекался тем, что рисовал на стенах пещеры, как с копьём в руках бежит за антилопой или сражается с буйволом. А маленький Ох прыгал рядом и радостно тыкал в нарисованных зверей палкой.

Но иногда дар воображения играл с человеком забавные шутки. Древним людям казалось, что вся природа вокруг населена духами — невидимыми существами, кото-

рые могут быть полезны или, наоборот, опасны. Например, когда шелестела листва яблони, древние люди думали, что там, среди веток, прячется дух дерева, в чьей власти подарить людям вкусные плоды. Когда охотник шёл один по склону горы и вдруг ему на голову внезапно падал камень, он думал: «Там, высоко, сидит дух горы, который за что-то крепко на меня сердит». А когда всходила луна, древние люди совершенно точно видели: у неё есть лицо — глаза, рот, нос! И они пели ей песни, думая, что она услышит их, не скроется в тучах и не оставит их в темноте один на один с хищниками.

Ух идёт по дорожке и смотрит вокруг себя. Посчитай, сколько духов он увидит. А тигра увидит?

Древние люди почитали своих предков и верили, что духи предков помогают им.

Семья Оха начала верить в это благодаря тётушке Гы-Гы. Тётушка была вообще довольно странной. Она говорила лучше всех в племени, но иногда рассказывала вещи настолько удивительные, что в них с трудом верилось. Например, она часто говорила про своего мужа, который давно погиб, сражаясь с огромным слоном, — Хэй-Хэя. По её словам, он был великим охотником.

— Знаешь, почему твоя охота была удачной? — спросила тётушка Гы-Гы, когда однажды Ух принёс с охоты большую козу. — Потому что тебе помогал мой муж, великий охотник Хэй-Хэй!

— Ух! — не поверил охотник. — Он же умер! Как он мог мне помочь?

— Он умер, но его дух следит за нами с неба, — пояснила тётушка Гы-Гы. — И он помогает мужчинам на охо-

те, направляя их руку, когда они кидают копьё! Верь мне! Уж я-то знаю, что говорю.

Ух, конечно, засомневался в словах тётушки, но обижать её он не хотел и сделал вид, что поверил. Тётушке очень понравилось, что он верит. Теперь всякий раз, когда он отправлялся на охоту, она напутствовала его словами:

— Пусть Хэй-Хэй, покровитель нашего племени, тебе поможет! Он направит твоё копьё, и оно полетит прямо в грудь зверю.

Однажды Ух увидел у озера большого буйвола и постарался подкрасться к нему незамеченным, чтобы нанести удар. Но когда он был уже совсем рядом, он наступил на ветку, и раздался громкий треск. Буйвол поднял от воды голову и посмотрел на Уха налитыми кровью глазами. В следующее мгновение буйвол уже мчался за охотником по лесу, а тот удирал что есть мочи. Буйвол загнал Уха в ущелье у подножия горы, и тому чудом удалось спрятаться среди громадных валунов. Буйвол ворочал тяжёлые камни, бил копытами валун, за которым прятался Ух.

Надеяться было не на что. И вдруг охотник вспомнил о том, что говорила ему утром тётушка Гы-Гы.

— Великий Хэй-Хэй, помоги мне! — прошептал Ух.

И ему показалось, что могучая фигура охотника подня-
лась у него за спиной. В ту же минуту Ух почувствовал, что
к нему возвращаются храбрость и силы. Выпрыгнув из-за
камня, он поднял копьё и направил его прямо в грудь жи-
вотному. Разъярённый буйвол с налитыми кровью глазами
заревел, прыгнул прямо на него — и со всего маху налетел
на каменный наконечник копья.

Вернувшись в пещеру, Ух взял кусок красной глины и стал рисовать на стене. Сперва он нарисовал себя — небольшую фигурку с копьём в руках. Затем буйвола — огромного, свирепого. И наконец, он изобразил большую фигуру охотника, поднявшуюся у него за спиной и помогающую ему держать копьё. Закончив рисовать, он положил перед фигурой охотника кусок мяса буйвола.

— Что ты делаешь? — спросила Ах.

— Хэй-Хэй мне помог, — объяснил Ух. — И будет помогать дальше. А за это я буду его кормить!

Чем же ещё мог выразить охотник свою признательность духу? Тем же, чем он платил волку, который помогал ему на охоте, — после каждой охоты человек делился с ним пищей.

Так появилась религия: люди стали верить в сверхъестественных существ, которые им помогают. А некоторые рисунки в пещерах сохранились до сих пор, и современные люди ходят туда как в музей — посмотреть на изображения быков, оленей и людей, сделанные тысячи лет назад.

ПЛЕМЯ И ЕГО ВОЖДЬ

Главным в племени обычно был вождь — самый сильный, умный и храбрый охотник. В наши дни люди выбирают себе президента страны — ходят на избирательные участки и отмечают на специальных листках, кого они считают самым сильным, умным и храбрым. А в древности никто не выбирал вождя — племя обычно и так понимало, кто у них тут самый отважный и талантливый.

После того как Ух изобрёл копьеметалку, приручил волка, открыл новый способ обработки камня и придумал, как можно пользоваться огнём, племя стало его уважать. Причём так сильно, что любое его слово воспринималось с воодушевлением. Например, выйдет он из пещеры утром, потянется и почешет спину — и тут же все охотники из уважения к нему потянутся и почешут спину. Или он задумается и пробормочет:

— Пойти поохотиться что ли...

И тут же все охотники хватают копья и бегут в лес.

— ...или рыбу половить, — продолжает мечтать Ух.

И племя разворачивается и несётся к реке: бить копьями рыбу (да, ведь удочек тогда ещё не изобрели, и охотились на рыбу именно с копьём).

Но такой власти, как у царя или короля, у вождя не было. Например, он не смог бы заставить племя делиться с ним пищей: уважение уважением, а еду себе каждый сам добывает. Вдобавок ему всегда мог бросить вызов другой мужчина из племени, который сам хотел стать вождём. Причём не то чтобы он приходил к нему и, как в кино, говорил красивые слова:

— Я вызываю тебя на бой, Храбрая Рука! Двоим нам не место под солнцем! Пусть племя увидит мою силу!

Ничего подобного не происходило.

Древние охотники задирали друг друга точь-в-точь как нынешние мальчишки.

Эха раздражало то, что племя слушается Уха и идёт туда, куда он ведёт людей.

— Эх... — вздыхал он. — Разве я слабее? Глупее? Трусливее?

И вот однажды, когда Ух сидел под деревом и каменным ножом вырезал себе дубинку, Эх подошёл к нему и начал критиковать его действия:

— Как ты дубину режешь! — говорил он. — Разве так режут? А сидишь ты как? Криво ты сидишь, неровно... Да что ты за человек такой! У тебя даже тень кривая.

Племя удивлённо слушало эти речи. Ух молчал и продолжал вырезать дубинку. Но когда дело дошло до его тени, он вспылил: развернулся и стукнул обидчика по голове. Эх, открыв рот от удивления, глядел, как у его собственной тени вспухает на голове огромная шишка.

— И бьёшь-то ты криво, — произнёс он, изо всех сил сдерживаясь, чтобы не расплакаться от боли. И скрипя зубами, пошёл прочь по склону горы.

— Давай-давай, — напутствовал его Ух. — Иди отсюда, болтун.

Теперь племя не сомневалось: перед ними настоящий вождь.

ПРИРУЧЕНИЕ ДОМАШНИХ ЖИВОТНЫХ

Люди время от времени кочевали. То есть они броса-
ли обжитую пещеру и всем племенем уходили в поисках
новой. Зачем они это делали? Очень просто: вокруг пещеры кончалась вся еда — люди съедали все фрукты и даже
выпивали всю воду в маленьких озерцах. А ещё серьёзнее
было то, что из этих мест уходили все животные, на которых люди охотились, — антилопы, козы и горные бараны:
соседство с людьми начинало им надоедать, и они искали
более спокойное место.

Тогда людям приходилось покидать насиженные пещеры, взваливать на плечи свои каменные топоры и идти вслед за каким-нибудь стадом коз.

Люди шли за козами, а за людьми по следам шли волки; ведь путешествуя по равнине, люди оставляли за собой кости животных, которыми лакомились хищники. Кстати, именно так племя в конце концов приручило столько волков, что в каждой семье теперь было по волку — ведь многие волки уже не могли жить без людей. Такой вот вереницей они ходили по равнине: впереди дикие козы и антилопы, за ними — люди, а позади — волки.

Почему люди приручили именно таких животных, как собака, корова, лошадь, коза, а не медведя или тигра? Дело в том, что все животные, которых приручил человек, бегали в стае или паслись в стаде, так как стадные или стайные животные легче подчиняются указаниям человека, в котором видят своего вожака.

Каких выдуманных зверей тебе удалось бы приручить, а каких — нет? А теперь найди на рисунке реально существующего зверя, которого человеку удалось приручить несмотря на то, что он живёт не в стае, а сам по себе.

Лето, когда семья Оха снялась с места и отправилась догонять стадо коз, выдалось на редкость жарким. Обливаясь потом, люди тащили на себе топоры и детей, а проклятые козы гарцевали у самого горизонта — они-то шли налегке! Но вот охотники подошли к широкому оврагу и с досадой увидели, что козы уверенно пересекают его, перепрыгивая с камня на камень. Ух подошёл к краю и заглянул вниз. Овраг уходил далеко вглубь.

52

Семья Уха обосновалась в пещере неподалёку от оврага, и Ух целый месяц занимался тем, что ловил коз и собирал их в небольшом загоне, огороженном заборчиком из веток. Козы жизнью своей были довольны: Ах каждый день приносила им несколько охапок свежей травы. Охотники поняли: куда лучше не кидаться на коз с копьём, а подоить их и набрать молока для маленького Оха и других детей.

Так охотники стали скотоводами: теперь еду им в основном давала не охота, а разведение животных. А вот кочевать семья Уха не перестала. Дело в том, что время от времени животные съедали всю траву в округе, и людям приходилось переходить на новое место, где было много свежей травы. Но теперь, бродя по равнине, люди не преследовали стада коз и овец, а вели их с собой.

НЕАНДЕРТАЛЬЦЫ

Однажды во время большой засухи племя Уха забрело далеко на север. Здесь было гораздо прохладнее и часто шли дожди, во время которых охотнику и его семейству приходилось прятаться в пещере. Вокруг росли густые леса, где было много плодовых деревьев. Хищники тут попадались нечасто, и жизнь в целом казалась легче. Единственное, что не нравилось племени, — это местные жители, неандертальцы.

«Кто-кто? — спросишь ты. — Неа... кто?» Неандертальцы были тоже людьми, но только не такими, как мы. Сейчас все люди, которые живут на свете, одинаковы. Кожа у них может быть белая, чёрная или жёлтая, волосы — прямыми или кудрявыми, они могут быть низкого или высокого роста, но все они такие же люди, как и ты. А вот неандертальцы были другой породой людей: даже внешне они были не похожи на нас. Они были невысокого роста, но с очень толстыми и сильными руками и ногами. Лица у них были тоже не такие, как у нас: с большими лбами и хмурыми бровями, с широким носом и необычайно крупными челюстями. Они жили отдельно от наших предков, но умели всё то же, что умеют они, — использовали огонь, делали каменные топоры, охотились на крупных животных.

Ты спросишь: а где сейчас неандертальцы? Ведь их нет ни среди твоих друзей, ни среди родственников, ни среди прохожих на улице. Разве что сосед дядя Вова, который всё время ворчит и ругается, чем-то похож на них. Но и он, уверяю тебя, не настоящий неандерталец, а только притворяется.

Увы, неандертальцы вымерли — исчезли с поверхности планеты ещё в то время, когда наши предки жили в пещерах. Что с ними случилось?

Судя по всему, они оказались хуже приспособлены к жизни на Земле, чем мы.

Во-первых, у них был необщительный, недружелюбный характер — они не любили селиться большими племенами, как наши предки, а жили маленькими семьями, например, только папа, мама и их дети. И если с семьёй случалась беда, то им некому было помочь.

Во-вторых, наши предки часто воевали с неандерталь-цами, и бедняги вынуждены были бежать из тех мест, где появлялись наши воинственные пращуры: разве может се-мья из четырёх человек справиться с огромным племенем в сотню копий?

Наши предки не догадывались, что неандертальцы — такие же люди, как и они сами. Ведь выглядели они иначе и говорили на своём, непонятном языке, который нашим предкам казался грубым и странным.

Однажды малыш Ох забрёл далеко в лес, где рядом с большой скалой росли яблони. Ох очень любил яблоки и, конечно, полез на дерево, но добраться до сочных плодов не смог — яблони были молодые, и залезть наверх по скользкому стволу было совсем не просто. Ох старался изо всех сил, перебирая ногами и отчаянно цепляясь руками.

Зализывая раны, Ырг бродил по лесу. Какая несправедливость! Ведь он за всю жизнь не сделал никому ничего дурного! А эти хлипкие слизняки, каждого из которых он мог бы свалить одним ударом руки, пришли и устроили не честный бой, а самое настоящее избиение — двадцать на одного!

Ырг стал думать, к кому бы обратиться за помощью, и вдруг вспомнил, что неподалёку живёт его брат, с которым они много лет не виделись. Да что там много лет — они с ним не виделись с тех самых пор, как стали взрослыми и перестали жить с родителями.

— Вот кто мне поможет!

Брат обладал в прямом смысле слова нечеловеческой силой, вдвоём с ним они разметают обидчиков, как детей! Правда, идти к брату не хотелось — он так привык жить один и ни с кем не общаться. Да и характер у брата был угрюмый, недружелюбный. Скрепя сердце Ырг всё-таки пошёл к брату. Тот сидел у входа в свою пещеру и о чём-то озабоченно думал.

— Здорово! — угрюмо приветствовал его Ырг.

— Привет! — пробурчал в ответ брат. — Зачем пришёл?

— Да так, мимо проходил, — ответил Ырг и действительно стал проходить мимо, вместо того чтобы, как собирался, попросить брата о помощи.

Ох подкрался к пещере неандертальцев и подслушал разговор между мамой-неандертальцем и её сынишкой. Что говорит мама своему сыну? Если Ох поймёт это, то он узнает, где спрятано много вкусной еды.

МЫМАМЫМА, МЫА МЫГ ДЕ МЫЕМЫДА?

МЫТАМ, МЫЗА МЫПЕМЫЩЕМЫРОЙ!

Вот так и закончилась их встреча. Впоследствии Ырг много думал, почему же он так и не обратился к брату за помощью, и не мог найти ответа. С одной стороны, не хотелось тревожить постороннего, в общем-то, человека своими проблемами. С другой, брат не вызывал у него большой симпатии, и говорить с ним по душам совсем не хотелось.

Как бы то ни было, объединиться им так и не удалось. И когда соседнее племя людей, прознав, что неподалёку от них живёт «чудовище», решило выгнать брата Ырга из пещеры, он тоже не позвал Ырга на помощь — зачем обременять других своими бедами?

Вот так неандертальцы и исчезли постепенно.

ВЕЛИКОЕ ОПЕДЕНЕНИЕ

Постепенно климат на планете менялся, с каждым годом становилось всё холоднее, и древним людям приходилось приспосабливаться к новым непривычным условиям.

На севере, где поселился Ух со своим семейством, часто шёл дождь. Однажды он лил много дней подряд — столько, что даже пальцев на двух руках не хватило бы, чтобы посчитать. А затем перестал. Но то, что наступило потом, никого не обрадовало. Небо не очистилось, а осталось мутно-серым.

— Не к добру это, — ворчала тётушка Гы-Гы. — Ох, не к добру.

И вправду: однажды утром, когда Ух сидел у входа в пещеру и глядел на это унылое небо, прямо на нос ему сел кто-то холодный. Ух быстрым движением руки прихлопнул эту наглую букашку, но, к удивлению своему, не обнаружил

на ладони ничего, кроме капельки воды. И тут кто-то мелкий снова сел ему на лицо — теперь уже на лоб. И снова то же самое — от букашки осталось самое настоящее мокрое место.

— Что такое? — подумал Ух, и тут его одолела целая стая загадочных насекомых — белые мухи тучами падали с неба, покрыв и его самого, и всю землю вокруг тонким покрывалом.

Вышедшие из пещеры охотники с удивлением отмахивались от белых мух и ёжились от холода, который стал ещё ощутимее. В тех жарких местах, откуда они все пришли, ничего подобного никогда не случалось.

Белые мухи падали с неба несколько дней подряд, и постепенно все привыкли к ним. А пруд неподалёку от пещеры покрылся гладкой коркой, такой толстой, что дети выходили на неё и катались — это оказалось ужасно весело!

Земля вокруг пещеры была полностью покрыта льдом и снегом. А возле пещеры появились животные, которых семья Уха никогда не видела: громадные, покрытые шерстью носороги, огромные рогатые антилопы. Особенно напугал охотников страшный зверь, который подошёл однажды утром прямо к входу в пещеру. Похожий на слона, которого охотники видели в родных местах, он был гораздо крупнее и покрыт шерстью (мы-то с тобой уже знаем, что это был мамонт, правда?).

Что тут началось! Женщины завизжали от страха, дети помчались в самую глубину пещеры. Даже храбрые охотники, откровенно говоря, струсили.

Зверь приходил к пещере несколько дней подряд, и вот однажды Ух созвал охотников и поведал им свой хитрый план.

На следующее утро, как только мамонт появился у пещеры, Ух выскочил ему навстречу и побежал по поляне, громко напевая:

> — Утро все красит светом!
> Просыпается с рассветом
> Вся земля, вся земля!
> Ай-ля-ля! Ай-ля-ля!

Песенка была бесхитростная, но слов у Уха на большее не хватало.

Мамонта очень удивил странный суетливый человечек, и главное — шум, который он производил. Что эта букашка о себе возомнила? Пригнув голову и выставив вперед огромные бивни, мамонт ринулся на храброго охотника.

Ух знал, что промедление подобно смерти. Он побежал, как антилопа, спасающаяся от тигра. Мамонт нёсся за ним, а за мамонтом бежали все остальные охотники, улюлюкая и размахивая горящими ветками. Косматый великан, который, как и все звери, ужасно боялся огня, уже не знал, чего ему хочется больше — нагнать обидчика или спастись от ревущей толпы.

Как нужно разложить брёвна, чтобы загнать мамонта в яму?

Ух нёсся по склону холма, приближаясь к оврагу. Склоны оврага были засыпаны снегом, увидеть его издали было невозможно, но Ух знал, где находится овраг, и вовсе не случайно нёсся именно в этом направлении. Его ноги скользили по снегу, он отчаянно петлял между деревьев, заставляя мамонта натыкаться на стволы и застревать в особенно узких местах. Мамонт ревел от злости и одновременно от страха — его задние ноги уже ощущали жар охотничьих факелов.

Вот Ух выскочил на прямую тропу и вдруг прыгнул на снег и ловким движением отскочил в сторону. Грузный мамонт не успел повернуть за ним и по инерции пронёсся

вперёд. Вперёд и вниз! По скользкому склону он полетел прямо в глубокий овраг, свалившись всем весом с высоты большого дерева. Он жалобно всхлипнул на дне оврага и навсегда закрыл свои свирепые глаза.

Племя обступило отважного Уха, празднуя победу над зверем.

Теперь охотники поняли, каким образом можно справиться даже с таким исполином: они заранее рыли большие ямы, прикрывали их ветками, и всей толпой, улюлюкая и размахивая факелами, гнали очередного зверя к пропасти.

Так, даже в новых условиях, где всё было не таким, как на родине, племя сумело приспособиться и не погибло.

Умение побеждать в самых неожиданных обстоятельствах и привыкать к самым удивительным землям и погодным условиям стало одним из главных сильных качеств человека. На планете менялся климат — в северных областях становилось холодно, и охотники вынуждены были придумывать новые уловки, чтобы не погибнуть. Например, они стали шить одежду из шкур животных с помощью маленьких костяных иголок и нитей, сделанных из высушенной травы. Такая одежда получалась очень тёплой.

ЗЕМЛЕДЕЛИЕ

Великий холод, который учёные называют оледенением, всё крепче сковывал северные области планеты, и охотники снова отправились на юг, чтобы найти там более тёплые земли.

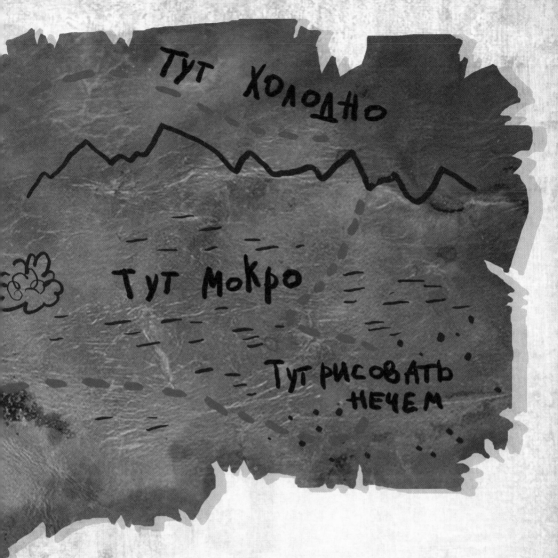

ТУТ ХОЛОДНО

ТУТ МОКРО

ТУТ РИСОВАТЬ НЕЧЕМ

И всё же кочевать с места на место древние люди не любили.

Только привыкнешь к новой пещере, украсишь вход шкурой, а стены разрисуешь фигурами животных и любимых предков, как снова надо менять место жительства.

Закончилась вся эта катавасия с бесконечными переездами, когда люди освоили земледелие — искусство сажать в землю растения и собирать их плоды. И не то чтобы они специально его освоили, нет, это произошло постепенно и как-то само собой.

Всё семейство охотника Уха ужасно любило сидеть по вечерам, грызть дикие яблоки и персики, а косточками плеваться вниз: кто доплюнет дальше. Обычно дальше всех плевал дядюшка Гм: иногда косточки, выпущенные из его рта, даже перелетали через бурный ручей у подножия горы. Никто из древних людей не знал, что эта невинная забава войдёт в историю.

Наступила засуха, и вся трава в долине пожухла. Горестно вздыхая, племя отправилось искать место, где была бы вода и трава. Такое место нашлось не скоро, да и долго там прожить не удалось — через несколько месяцев животные съели всю траву, и пришлось снова сниматься с места.

Прошло немало времени, Ух и его семья снова нашли место, которое им очень понравилось. Более того, оно казалось каким-то знакомым. Вроде бы где-то видели они уже эту гору, этот ручей, этот лес неподалёку.

УХ! ЭТА РОЩА ВЫРОСЛА ИЗ КОСТОЧЕК, КОТОРЫМИ МЫ ПЛЕВАЛИСЬ!

— Я думаю, это наша старая пещера... — пробормотала Ах.

— Не может быть! — дружно возразили остальные. — Там не было рощи!

И правда, прямо под входом в пещеру, на пологом склоне росла целая сотня молодых деревьев.

Ух задумался: что если перестать кочевать, а начать выращивать деревья и кормиться плодами с них? Вечером он усадил всё семейство на склоне и заставил их грызть яблоки и плевать косточками вниз.

— Больше плюйте! Дальше плюйте! — наставлял он семейство, расхаживая перед домочадцами, словно генерал перед строем артиллеристов.

Семейство отчаянно плевалось во все стороны. Только вот беда: тут же налетали птицы и склёвывали большую часть косточек. Тогда Ух начал бегать по слону холма, прямо под градом летящих косточек, и гонять птиц. Так он делал весь день, но как только он пошёл спать в пещеру, птицы снова слетелись.

Ух загрустил. Этак из его затеи ничего не выйдет. Но на то он и был мудрый и опытный охотник, что тут же придумал, что делать. Он подобрал острую палку и стал копать в земле небольшие ямки. А потом принялся перекладывать туда косточки и присыпать их землёй. Так птицы их точно не достанут.

Теперь Ух заботился о своей будущей роще, как родная мать о своём ребёнке. Когда наступила засуха, он носил воду из озерца и поливал будущие деревья.

И вскоре труды племени были вознаграждены — из земли на склонах горы поднялось десять, сорок, сто, нет, целых двести зелёных ростков! И однажды пришло время, когда деревья дали свой первый урожай маленьких, зелёных и кислых яблок. Ух, который уже начал кое-что понимать в земледелии, теперь искал всюду фрукты послаще и сажал их косточки перед пещерой.

ПРЕЛЕСТИ ОСЕДЛОЙ ЖИЗНИ

Теперь племя поселилось в своей самой любимой пещере и перестало бродить с места на место. Фруктовая роща давала обильный урожай плодов, стада коз — молоко и мясо.

Жизнь теперь была куда спокойней и безопасней, но совсем не легче: теперь охотники должны были, как про́клятые, копать землю, сажать туда косточки, носить в высушенных тыквах воду из озера.

Но вот Ах оседлая жизнь понравилась. Через год в их семье родился маленький Бам, ещё через год — девочка Ну-ка, а ещё через несколько лет — близнецы Прыг и Шмыг. Раньше они столько детей себе просто не могли позволить!

Чтобы прокормить такую ораву, Уху надо было бы, наверное, охотиться днём и ночью.

Впрочем, ему и сейчас приходилось нелегко. Ух всё сильнее тосковал о прежних временах, когда он мог просто посидеть, грея пятки у костра, или побегать с верным волком по склонам горы. Но отдохнуть уже было нельзя — ему всё время приходилось рыхлить землю палкой-копалкой, собирать фрукты с деревьев и относить в пещеру, откуда постоянно слышался то детский плач, то детский смех. Нет, по сравнению с жизнью охотника жизнь земледельца казалась адом.

Но возврата к прежнему уже не было. Земледелие оказалось более выгодным занятием, чем охота и сбор корешков.

Семьи древних людей становились больше, и скоро племя охотников выросло так, что заселило все пещеры в горе. Людям даже пришлось строить на лето шалаши из веток и жить там, а зимой сбиваться в пещеру, греясь огнём и теплом друг друга.

Увы, племя Уха не знало главного: изобретения, которые они сделали, стали известны и другим племенам, а некоторым из них даже удалось подняться к новым вершинам культуры. Например, они научились делать оружие не из камня, а из металла. Или ездить верхом на лошадях. А ещё у многих племён появились настоящие цари, чья власть распространялась на множество народов. Для них начался уже новый период в истории — эпоха государств Древнего мира.

Узнала об этом семья охотника в один прекрасный день, когда к пещере пришла целая армия воинов. Их оружие, ровное, гладкое, острое, блестело на солнце, за спиной у каждого висели лук со стрелами и короткие копья — дротики.

Делать нечего — с такой огромной армией не поспоришь. Ух и Ах, ворча и тоскуя, стали собираться в дорогу.

Что ждёт их в новой стране, которой они никогда ещё не видели?

ЧТО ТАКОЕ ЭВОЛЮЦИЯ?

Предполагают, что люди произошли от животных, напоминавших шимпанзе. Почему же наши предки спустились с деревьев, потеряли хвост, и стали ходить на двух ногах? Это произошло благодаря эволюции. Дело в том, что любое животное приспосабливается к условиям, в которых живёт. В природе выживают те животные, у которых лучше получается добывать пищу и защищаться от врагов. С каждым поколением таких животных становится всё больше, а неприспособленных — меньше. Так и наши предки, жившие на равнине, постепенно менялись, становились всё меньше похожими на обезьян и всё больше — на сегодняшних людей.

1 Из-за климатических изменений там, где прежде обезьяны жили на деревьях, лес исчез и осталось лишь несколько деревьев посреди широкой равнины. Обезьяны вынуждены были спуститься и жить на земле. Равнина населена хищниками. Как ты думаешь, кто выживет в этой среде?

Тот, у кого длинные руки?   *Тот, у кого есть хвост?*   *Тот, кто ходит на двух ногах и может заметить хищника ещё на горизонте?*

2 Двуногие обезьяны лучше всех научились спасаться от хищников, а вот всех остальных хищники съели. Теперь равнина населена только двуногими обезьянами. Но хищников по-прежнему много, и они опасны. На равнине разбросано множество камней и палок, которыми можно кидаться в хищников. Кто из обезьян справится с задачей лучше?

Тот, у кого умелые руки с большим пальцем?   *Тот, кто физически сильнее?*   *Или тот, кто умеет хорошо лазить по деревьям, чтобы кидаться в хищников с высоты?*

3 Теперь на равнине остались только те обезьяно-люди, которые умеют ходить на двух ногах и у которых умелые руки с противостоящим большим пальцем. Чтобы окончательно перестать бояться хищников и начать охотиться на антилоп, которых много в окрестностях, люди должны выработать ещё один важный навык — изготовлять из камней и палок копья и топоры. Кто сумеет это сделать?

Тот, у кого самые длинные руки?   *Тот, у кого хорошо развит мозг?*   *Или тот, кто быстрее всех?*

4 Итак, наши предки теперь ходят на двух ногах, у них умелые руки и крупный мозг. Они начинают объединяться в племена, чтобы помогать друг другу работать и охотиться. У кого это получится лучше?

У того, кто умеет говорить?   *У того, у кого самый злобный характер?*   *У того, кто умеет строить большие дома?*

Поздравляем! Получился человек — самый настоящий: он ходит на двух ногах, умеет делать орудия труда и разговаривать, а вдобавок обладает огромным, в три раза больше, чем у самой умной обезьяны, мозгом. Вот так на нашей планете и появился человек!

УДК 94(3)
ББК 63.3(0)2
Н84

6+

Иллюстрации *Анастасии Катышевой*

Носырев Илья

Н84 Первобытные люди / И. Носырев. — М.: Редкая птица, 2015. — 88 с. — (Истории об истории).

ISBN 978-5-9905499-6-8

Перед вами первая книга научно-популярной серии «Истории об истории», в которой о жизни наших далёких предков рассказано просто, понятно и весело. Все важнейшие достижения первобытного человека — «приручение» огня, одомашнивание животных, умение изготавливать орудия труда, освоение земледелия — показаны как история одной семьи, вернее племени древних людей. Герои этой книги — храбрый охотник Ух, его жена Ах, сынишка Ох и их многочисленные родственники — смело встречают все трудности, ловко и остроумно решают загадки, которые преподносит им незнакомый и загадочный окружающий мир.

Книга предназначена для дошкольников и младших школьников.

УДК 94(3)
ББК 63.3(0)2

Ответственный редактор *О. Михайлова*
Корректор *Н. Вторушина*
Компьютерная верстка *А. Сильванович*

Знак информационной продукции
согласно ФЗ от 29.12.2010 №436 ФЗ
Категория: 6+
Для младшего школьного возраста

ISBN 978-5-9905499-6-8

www.forum-books.ru
www.birdbooks.ru

forum-ir@mail.ru
birdbooks@yandex.ru

8 (495) 625-52-43

Подписано в печать 19.02.2015.
Формат 70×100/16.
Печать офсетная.
Тираж 3000 экз. Заказ Н-150.

Отпечатано в полном соответствии с качеством предоставленного электронного оригинал-макета в типографии ПИК «Идел-Пресс», филиал ОАО «ТАТМЕДИА». 420066, г. Казань, ул. Декабристов, 2. e-mail: id-press@yandex.ru